Harry Glover

Ilustrado por John Francis

Traducción de
Montserrat Arté Escatllar

EJ

EDITORIAL JUVENTUD, S. A.
Provenza, 101 - Barcelona

Índice de materias

Revisado por
Rosamund Kidman Cox
y Tim Dowley

Los directores de la edición agradecen
a Peter Messent y Peter Kendall
su colaboración

Segunda edición, 1991
Depósito Legal, B. 33.972-1991
ISBN 84-261-1938-7
ISBN 0 86020 253 4 editor Usborne
Publishing Limited, Londres,
edición original
Núm. de edición de E. J.: 8.594
Impreso en España - Printed in Spain
I. G. Credograf, S. A. Llobregat, 36 -
08291 Ripollet (Barcelona)

Cómo usar este libro

Este libro constituye una guía para la identificación de perros de raza. Llévelo consigo cuando salga con el propósito de identificar los perros que vea, o cuando visite una exposición canina.

Normalmente, todos los perros de raza son criados como un negocio o por diversión; en este libro los hemos reunido de acuerdo con el objetivo para el que son utilizados, por ejemplo: de pastor, guardianes o de caza.

Junto a la figura de cada uno de ellos se encuentra una breve descripción de la raza. Esto le informará acerca del país de origen y del color del animal. La altura normal viene dada en centímetros. Al lado de cada figura se encuentra también un pequeño círculo blanco. Cuando identifique un ejemplar de esa raza, haga una señal dentro del círculo. En la tabla que se encuentra al final del libro existe una casilla para cada raza. A las razas comunes se les da una valoración de 5 puntos, y a las raras, de 25.

Al final del libro encontrará información acerca de cómo comprar y reconocer un perro.

La altura de un perro se mide desde el suelo hasta el punto más alto de la espalda (cruz).

Cruz

Perros de raza

Los perros que figuran en este libro provienen de todo el mundo, pero la mayor parte de sus antecesores se originaron en Europa y en Oriente. En un principio fueron criados con diferentes propósitos, tales como la caza deportiva o para arrastrar trineos; así es como empezaron los *pedigrees* de las diferentes razas. El mapa que figura al pie muestra las diferentes zonas del mundo donde hoy se crían perros de raza.

Principales zonas del mundo donde se crían perros de raza

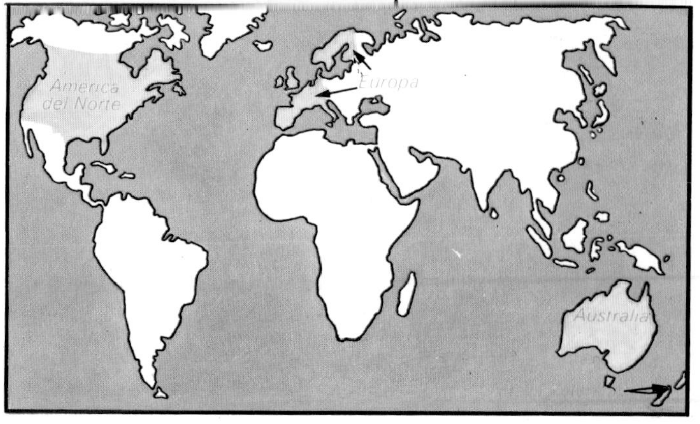

Identificar a un perro

En este libro podrá encontrar información sobre muchas razas de perros. El significado de algunas de las palabras utilizadas para describirlos se aclara en las ilustraciones de estas páginas; en el vocabulario incluido en la página 59 se especifica el significado de otras palabras.

El perro o la perra

El macho o perro, normalmente es más fuerte y grande que la hembra o perra. Algunas veces también es más agresivo y puede ser asimismo más independiente. Una perra es más adicta a las personas y probablemente se mantendrá siempre más cerca de casa.

Las hembras están en condiciones de cría dos o tres veces al año; son los llamados "períodos altos" o "calientes". Cuando está "alta" se torna inquieta, sangra un poco por la vulva y puede tornarse vagabunda hasta que encuentre un macho. Este estado dura unas tres semanas. Después volverá a su conducta habitual, a menos que haya engendrado.

Denominación de las diferentes partes y características de un perro

Las diferentes partes y características de un perro reciben nombres especiales; es conveniente recordarlos cuando se acude a una exposición canina. A continuación aclaramos algunos de estos nombres.

Flecos: largos mechones de pelo sobre ciertas partes del cuerpo.
Fuerte: de constitución robusta.
Corto: de lomo corto.
Rabo: la cola en algunas razas.
Zarco: con los ojos de diferente color, por ejemplo, uno azul y otro blanco.

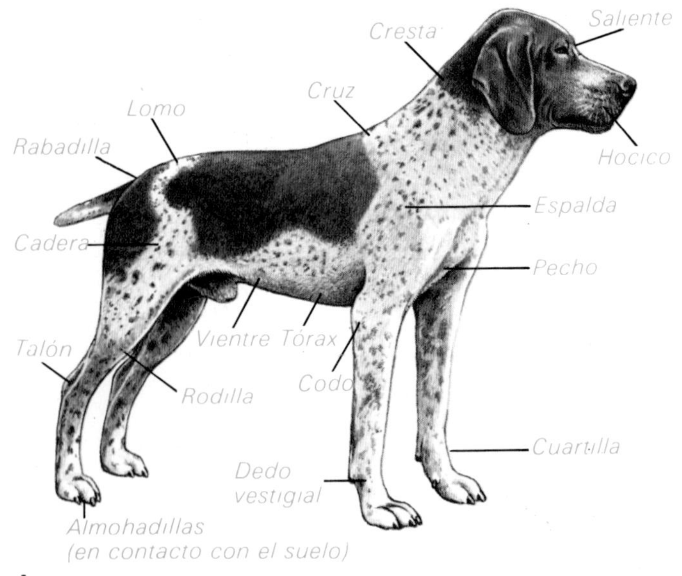

Orejas y colas

Cuando quiera averiguar a qué raza pertenece un perro, fíjese en sus orejas y cola. Algunas razas poseen orejas y colas características. Podrá observar perros con la cola muy corta, como cortada (rabones). La reducción o extirpación de la cola se efectúa cuando el cachorro es muy joven y prácticamente es una operación indolora. El argumento en favor de esta operación es que los perros pueden sufrir heridas en la cola al efectuar ciertos trabajos. No obstante, a algunos perros se les corta la cola solamente por razones de estética. El cortar las colas de los perros está permitido en todo el mundo, pero en algunos países, como por ejemplo Inglaterra, es ilegal cortarles las orejas.

Orejas caídas (colgantes)

Orejas erguidas (levantadas)

Orejas semierguidas

Cola semierguida

Cola caída (baja)

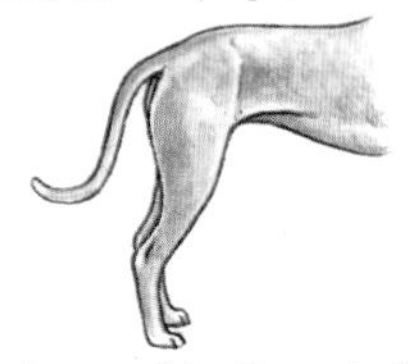

Cola erguida (levantada)

Cola curvada

Cola larga y peluda

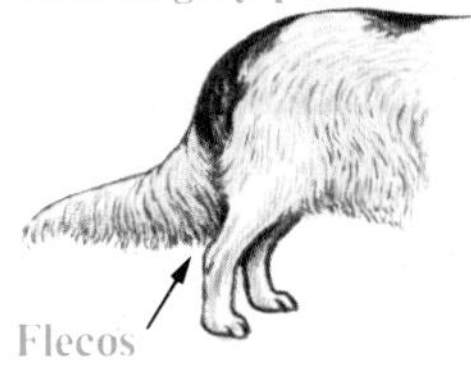

Perros corredores

Todos los perros corredores son utilizados para la caza deportiva. Poseen largas patas y son capaces de cubrir largas distancias.

Perro gacela ▶

Originario del Oriente Medio, fue utilizado inicialmente para cazar venados y antílopes. Su pelo puede ser corto o largo y posee largas orejas. Hoy constituye un perro de lujo. Blanco, dorado, negro o tostado. Altura: 58-71 cm.

Cola curvada y con flecos

Patas con mechones

Cola con flecos

◀ Galgo ruso

Originario de Rusia, donde los zares lo utilizaban para la caza deportiva y para cazar lobos. Pelo largo y sedoso. Cola larga. Varios colores. Altura: 72-76 cm.

Afgano ▶

Raza antigua. Usado antaño en Afganistán para la caza de pequeños venados. Pelaje largo y sedoso, con las orejas muy peludas. Todos los colores. Altura: 68-73 cm.

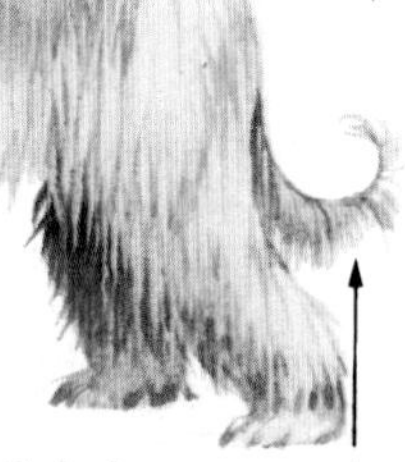

Perros corredores

Sabueso irlandés ▶

Originario de Irlanda. Es uno de los perros de caza más grandes. Buen carácter. Pelo áspero y duro. Gris, moteado, rojo, canela, negro o de un blanco purísimo. Altura: 79 cm.

◀ Galgo escocés

Originario de Escocia, parecido al sabueso irlandés, pero menos corpulento y de pelo más claro. Usado antiguamente para la caza de liebres y venados. Pelo corto, bastante áspero. Gris, moteado o amarillento. 71-76 cm.

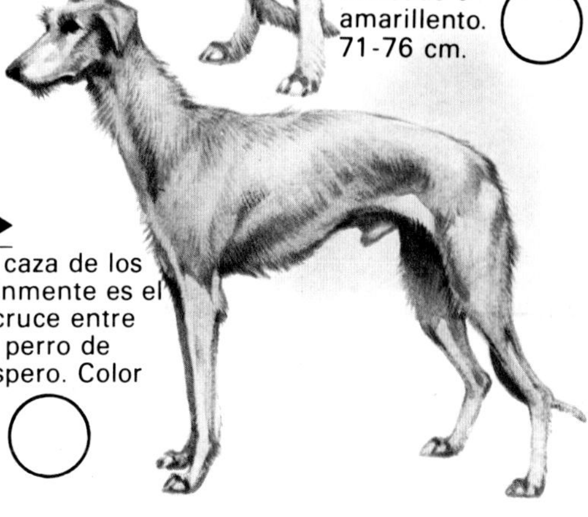

Galgo gitano ▶

Es el perro de caza de los gitanos. Comúnmente es el resultado del cruce entre un lebrel y un perro de pastor. Pelo áspero. Color canela, gris o negro. Altura: 71-76 cm.

Perros corredores

Orejas anchas y erguidas

Cola larga y fina como un látigo

Sabueso faraón ▶

Quizás una de las razas más antiguas. Perro de caza originario del área mediterránea. Pelo corto. Frecuentemente rojo con una mancha blanca sobre el pecho.
Altura: 53-63 cm.

◀ Podenco ibicenco

Originario de la isla de Ibiza. Utilizado para cazar y como perro de guarda. Pelo corto y áspero. Varios colores.
Altura:
61-66 cm.

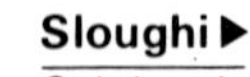

Sloughi ▶

Originario del norte de África. Constituye una raza rara. Fácil de confundir con el perro gacela. Utilizado para la caza de piezas pequeñas. Pelo corto. Usualmente color arena, pero puede ser moteado.
Altura: 56-76 cm.

Perros corredores

Galgo corredor ▶

Originario del norte de Inglaterra, donde se le cría para carreras. Parece un lebrel en miniatura. Amistoso. Pelo corto. Varios colores o mezclado. Altura: 44-47 cm.

Lomo curvado

Orejas semierguidas dobladas hacia atrás

◀ Lebrel

Utilizado por griegos y romanos para perseguir las liebres. Puede alcanzar los 80 km/h. en las rectas, por lo que se le utiliza para carreras en pista. Pelo corto. Varios colores y mezclas. Altura: 71-76 cm.

Gran tórax

Cola larga y caída

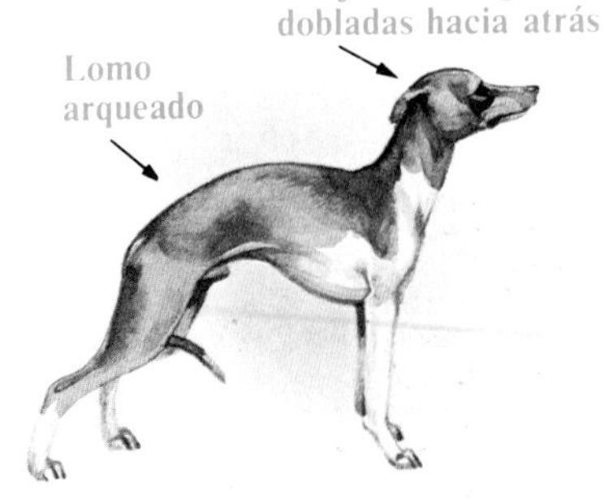

Galgo italiano ▶

Originario de Italia. El menor de los perros corredores y hoy en realidad un faldero. Cervato, negro, crema, blanco o pío. Altura: 32-35 cm.

Perros de pastor

Estos perros originariamente se criaron para guardar las ovejas u otro ganado; también pudieran haber sido perros de guarda. Hoy tan sólo algunas razas son utilizadas como perros de pastor.

Perro de pastor belga ▶

Perro ovejero originario de Bélgica. Inteligente y obediente. Excelente perro de guarda. Pelaje largo. Color negro. Altura: 58-62 cm.

Orejas erguidas y triangulares

Pelo del cuello más largo

Orejas erguidas y triangulares

◀ Malinois

Perro de pastor belga. Pelo corto parecido al del pastor alemán. Color cervato o rojo, con las puntas del pelo negras. Altura: 58-62 cm.

Tervueren ▶

Originario de Bélgica, se parece al perro de pastor belga, pero es de color rojizo canela, con las puntas de los pelos y el extremo de la cola negros. Altura: 58-62 cm.

Perros de pastor

Orejas erguidas y triangulares

Cola baja, suavemente curvada.

Pastor alemán o alsaciano ▶

Es el descendiente de los antiguos perros de pastor europeos. Utilizado por la policía y las fuerzas armadas, también por los ciegos como perro guía. Inteligente y fácil de amaestrar. Pelo liso. Varios colores. Altura: 56-66 cm.

Orejas semierguidas

Pelo abundante y largo en el cuello

◀ Perro escocés de pelo duro

Originario de Escocia, donde se le utilizaba para guardar ovejas; hoy es también un perro de exposición. Dos capas de pelo, una larga y otra corta. Usualmente de color tostado y blanco, tricolor o azul y blanco. Altura: 51-61 cm.

Orejas semierguidas

Perro escocés de pelo liso ▶

Raza inglesa, menos común que el escocés de pelo duro. Pelo corto, duro y liso. Altura: 51-61 cm.

Perros de pastor

Las orejas reposan pegadas a la cabeza

Sin cola

Antiguo perro de pastor inglés ▶

Raza inglesa, conocida en aquel país por "Bobtail". Buen perro guardián. Robusto y activo. Pelo largo y abundante. Puede ser gris, azul o mezclado, con manchas blancas o sin ellas. Altura: más de 56 cm.

Mechones de pelo a ambos lados del hocico

◀ Perro escocés barbudo

Originario de Escocia. Utilizado principalmente para guardar ovejas. Pelo largo. Puede ser azul, gris más o menos negruzco o rojo y blanco. Altura: 51-56 cm.

Orejas semierguidas

Pelo abundante y largo en el cuello

Perro pastor shetland ▶

Originario de las islas Shetland. Parece un perro escocés de pelaje áspero, pequeño. Cola larga y peluda. Pelo largo. Colores blanco y negro, blanco y canela, negro o tostado. Altura: 35-37 cm.

Perros de pastor

Pelo en guedejas

Pelo caído sobre los ojos

Komondor ▶

Originario de Hungría. Pelo áspero y en largas guedejas. Decidido y resistente, puede trabajar aunque las temperaturas sean muy bajas. Siempre blanco. Altura: 56-81 cm.

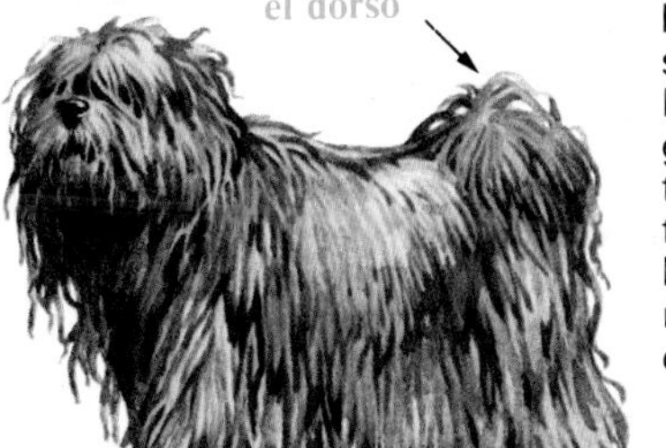

Cola curvada

Pelo en guedejas

Cola curvada sobre el dorso

◀ Puli húngaro

Perro ovejero originario de Hungría. Dos capas de pelo, suave y lanuda la inferior, larga y en abundantes guedejas la superior. Puede trabajar en temperaturas muy bajas. Blanco, gris o negro. Altura: 38-44 cm.

Cola curvada sobre el dorso

Perro de busca tibetano ▶

Originario de las montañas del Tíbet. Utilizado antaño para guardar ovejas, cabras y otro ganado. Vivaracho y juguetón. Pelo largo y fino en doble capa. Puede ser blanco, crema, gris, dorado o negro. Altura: 35-40 cm.

Pies anchos, redondos

Perros de pastor

Las cejas cuelgan sobre los ojos.

Perro pastor de Briard ▶

Raza francesa. Inteligente. Cuerpo de aspecto cuadrangular. Pelo largo, duro y ondulado. Puede ser de cualquier color menos blanco. Altura: 56-58 cm.

Cola curvada y con flecos

Orejas cortas y erguidas

Rabón

◀ Perro boyero de Flandes

Usado antiguamente por los granjeros flamencos para conducir el ganado. Rápido, activo y fácil de amaestrar. En la cabeza, los mechones de pelo forman cejas, bigotes y barbas. Pelo duro e hirsuto. Pardo-amarillento, gris o negro. Altura: 63-66 cm.

Extremo de la cola, blanco

Collie de la frontera ▶

Perro ovejero, muy inteligente y trabajador. Se le ve con frecuencia en los concursos de perros ovejeros. Pelo largo, fino y ligeramente ondulado. Generalmente blanco y negro. Altura: 51-53 cm.

Perros de pastor

Pastor italiano ▶

Originario de Italia central. Utilizado para el ganado y como guardián. Amigable e inteligente. Pelo bastante largo. Nariz negra. Comúnmente blanco, puede tener manchas de color amarillo limón o canela. Altura: 61-74 cm.

◀ Kuvasz

Perro de caza originario de Hungría. Utilizado para guardar ovejas y otro ganado. Raza poco común. Pelo largo en el cuello; en el resto del cuerpo es más corto y ondulado. Siempre blanco. Altura: 67-76 cm.

Pelaje espeso

Mastín de los Pirineos ▶

Originario del Pirineo francés. Utilizado antiguamente para proteger a los animales de los lobos y los osos. Es una raza fuerte provista de espeso pelaje. Totalmente blanco o blanco moteado. Altura: 68-81 cm.

Perros de arreo

Estos perros poseen una habilidad particular: todos son capaces de conducir el ganado y, si éste se detiene, lo arrean mordiéndole en las corvas y retrocediendo antes de que las reses puedan cocearlos.

Pastor sueco ▶

Originario de Suecia. Conocido también por "Västgötaspets". En los años 40 casi llegó a extinguirse. Pelaje corto. Puede ser de color gris, pardo o rojizo. Altura: 38-49 cm.

Cola muy corta

Cola muy corta

Orejas erguidas

◀ Pembroque

Utilizado originariamente en Gales del Sur para la conducción de ganado y ponis; hoy es un popular perro casero. Pelo más bien corto. Puede ser rojo, negro, cervato, negro y tostado o tener algunas manchas blancas. Altura: 25-30 cm.

Orejas anchas, erguidas y con la punta redondeada

Cola parecida a la del zorro

Cardigan ▶

Otro perro conductor de ganado originario de Gales del Sur. Cuerpo y orejas más largos que el pembroque. Utilizado todavía hoy por los granjeros galeses. Pelo corto. Varios colores, excepto blanco. Altura: 30 cm.

Perros de arreo

Kelpie australiano ▶

Procedente de Australia, es el resultado del cruce entre los perros ovejeros con el dingo australiano (perro salvaje). Vigoroso y arduo trabajador. Pelo corto, negro, rojo o chocolate. Altura: 43-51 cm.

Orejas erguidas

Cola curvada sobre el dorso y caída a un lado

◀ Buhund noruego

Perro originario de las granjas noruegas. Valiente e inteligente. Pelo largo y espeso, más largo sobre el cuerpo y el cuello. Color cervato, rojo o amarillento. Altura: 45 cm.

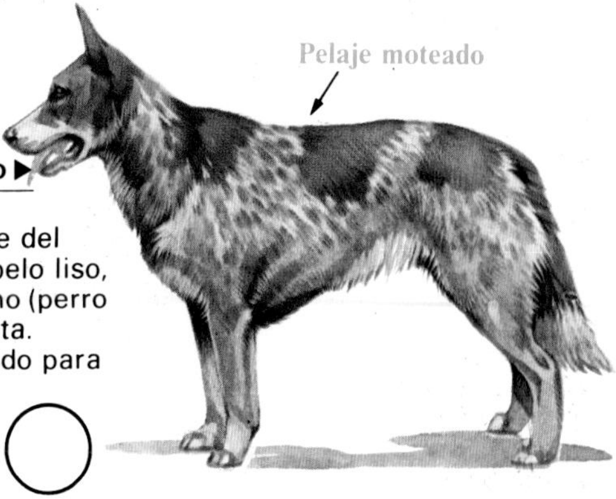

Pelaje moteado

Pastor australiano ▶

Raza australiana, resultado del cruce del perro escocés de pelo liso, el dingo australiano (perro salvaje) y el dálmata. Muy fuerte. Utilizado para conducir ganado. Pelo corto, rojo o azul moteado. Altura: 45-51 cm.

Perros guardianes

Todas estas razas son excelentes perros guardianes, utilizados para proteger personas y propiedades. Provienen de diferentes partes del mundo y algunas de ellas eran inicialmente perros de caza.

Bulldog alemán o boxer ▶

Criado originariamente en Alemania. Muy fuerte y activo. Buen guardián y también perro casero. Pelo corto y liso. Puede ser rojo, cervato o moteado, a menudo con grandes manchas blancas. Altura: 53-60 cm. ◯

Arrugas en la frente

Cabeza grande y cuadrangular, con “cresta”

◀ Mastín dogo

Originario de Inglaterra. Proviene de un cruce entre bulldog y mastín. Vivaracho y amigable. Pelo corto. Rojo, cervato o moteado. Altura: 61-68 cm. ◯

Rabón

Perro de rebaño de Rottweil ▶

Originario de Alemania. Utilizado hoy por la policía, las fuerzas armadas y como perro guía. Muy inteligente. Pelo corto, negro o castaño. Altura: 56-58 cm. ◯

Perros guardianes

Orejas caídas

Cola baja

Gran danés ▶

Utilizado antaño en Alemania, Francia y Dinamarca para cazar jabalíes. Grande pero amistoso. Pelo corto y liso. Cervato, blanco, azul, abigarrado o arlequín. Altura: 73-81 cm.

Rabón

◀ Dobermann

Criado en Alemania, debe su nombre a Luis Dobermann (creador de la raza). Perro de guarda valiente y amistoso. Pelo corto. Negro, pardo o azul con manchas pardas. Altura: 66-68 cm.

Dálmata ▶

Originario de Yugoslavia. Utilizado antaño en Inglaterra para correr junto a los coches de caballos. Pelo corto y suave. Blanco con manchas negras o rojizas. Altura: 55-60 cm.

Manchas redondeadas

Perros guardianes

Karabash de Anatolia ▶

Originario de Turquía, donde era utilizado para guardar ovejas. Pelo corto; puede ser crema, cervato, moteado o negro. Altura: 66-76 cm.

◀ Leonberger

Raza rara, originaria de Alemania. Perro casero, muy amistoso y valiente guardián. Pelaje largo y suave, dorado o rojo. 68-78 cm.

Perro de la sierra de Estrela ▶

Originario de la sierra de Estrela, en Portugal. Constituye una raza rara. Fuerte, inteligente y activo. Normalmente cervato, con la cara y orejas negras. Altura: 63-71 cm.

Perros guardianes

Terranova ▶

Originario de Terranova. Buen nadador. Muy fuerte. Pelo largo de color negro o bronce. Altura: 66-71 cm.

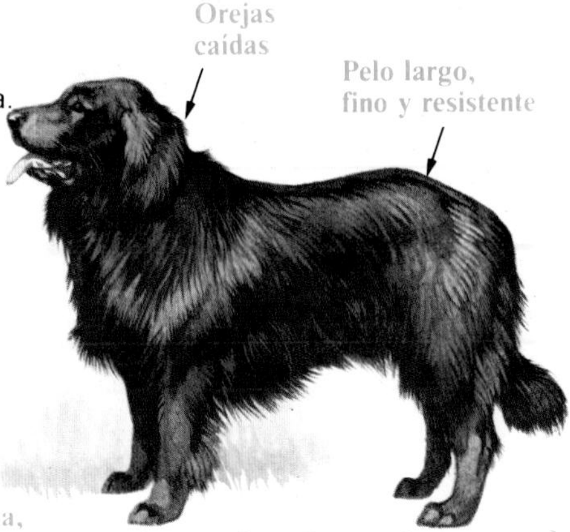

Orejas caídas

Pelo largo, fino y resistente

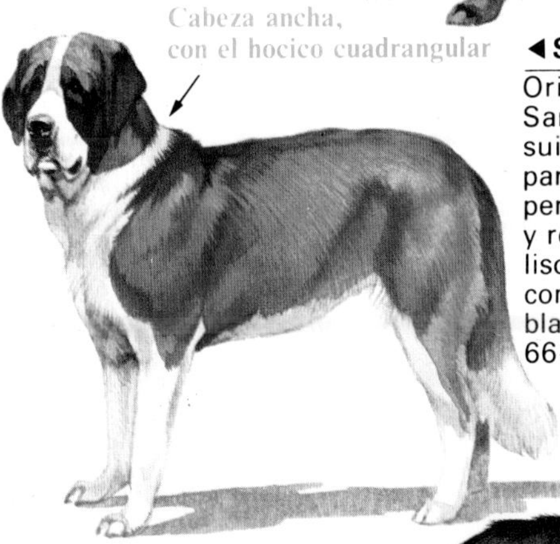

Cabeza ancha, con el hocico cuadrangular

◀ San Bernardo

Originario de la Hostería de San Bernardo, en los Alpes suizos, donde se le utilizaba para rescatar a los viajeros perdidos en la nieve. Fuerte y resistente. Pelo liso y áspero, comúnmente rojo y blanco. Altura: 66-71 cm.

Orejas caídas

Bouvier de Berna ▶

Originario de Suiza, donde se le utilizaba para tirar de carretones. Fácil de adiestrar. Buen guardián. Pelo largo y suave, negro, castaño o moteado; pecho blanco. Altura: 61-66 cm.

Perros guardianes

Grifón gigante ▶

Originario de Baviera (Alemania), donde era utilizado para conducir ganado. Buen perro guardián. Pelo áspero, color negro o "sal y pimienta". Altura: 71 cm.

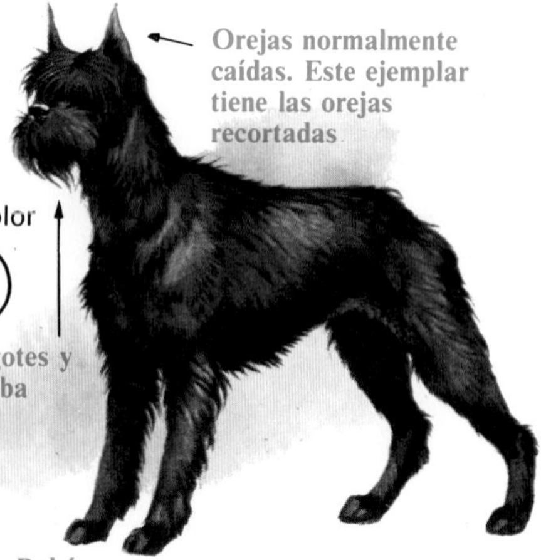

Orejas normalmente caídas. Este ejemplar tiene las orejas recortadas

Bigotes y barba

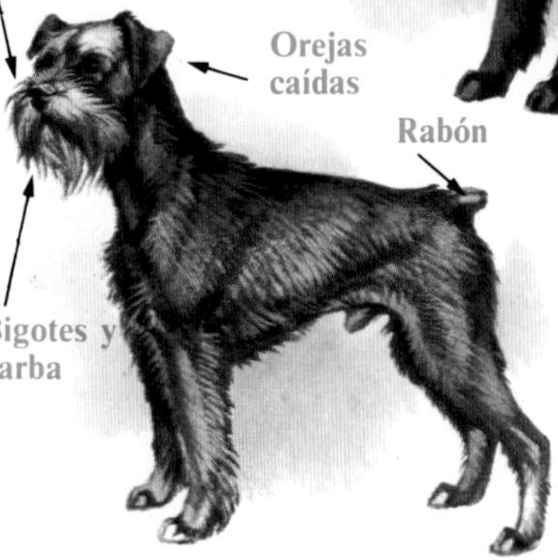

Cejas espesas

Orejas caídas

Rabón

Bigotes y barba

◀ Grifón estándar

Originario de Alemania, donde se le utilizaba para exterminar animales perjudiciales, tales como ratas. Muy estimado entre los de su grupo y excelente vigilante. Pelo áspero, negro o "sal y pimienta". Altura: 45-51 cm.

Rabón

Grifón miniatura ▶

También es de origen alemán. Versión reducida del grifón gigante. Pelo áspero y duro. Color negro o "sal y pimienta". Altura: 30-35 cm.

Perros guardianes

Con una mancha alrededor de los ojos

Keeshond ▶

Originario de Holanda, donde se le utilizaba para guardar las barcazas. Llamado también perro barquero holandés. Tiene la cabeza zorruna y el pelo del cuello muy largo. Pelo largo, gris, con las patas y los pies crema. Altura: 40-48.

◀ Schipperke

Originario de Bélgica. También se le conoce por perro barquero belga. Pelo corto y fino, más largo en el cuello, habitualmente negro. Altura: 30-33 cm.

Muslos peludos

Rabón

Gran cabeza

Bulldog o perro de presa ▶

Famosa raza británica. Valiente y resuelto. Usado antiguamente para acosar a los toros. Gran cabeza en relación con el cuerpo. Amistoso. Pelo corto. Todos los colores menos negro. Peso superior a 25 kg.

Patas anteriores muy separadas

Perros de caza

Estos perros son criados para que ayuden a los cazadores. Muchos son utilizados para localizar y levantar la caza, de forma que el cazador pueda disparar. Otros son entrenados para que esperen hasta que la pieza haya sido abatida; entonces van a recogerla y la traen junto al cazador, razón por la cual son llamados cobradores.

Drentse ▶

Originario de Holanda. Buen cazador, puede cobrar las piezas en el agua. Pelo largo y áspero, blanco, con manchas pardas o anaranjadas. 56-63 cm.

◀ Pachón bretón

Originario de las islas británicas. Activo e inteligente perro de caza. Pelo liso y suave, color blanco, con manchones anaranjados o castaños. Altura: 45-51 cm.

Gran münsterländer ▶

Originario de Alemania. Bueno para la caza y para atrapar roedores. Pelo largo, fino y ligeramente ondulado, blanco, con manchones negros. Altura: 58-63 cm.

Perros de caza

Perro de aguas saltador galés ▶

Originario de Gales. Menor que el perro de aguas norfolk. Puede cobrar del agua las aves abatidas. Pelaje fuerte, espeso y sedoso, coloración roja y blanca. Altura: 45-48 cm.

Rabón

◀ Perro de aguas norfolk

Una de las razas más antiguas entre los perros de aguas. Capaz de localizar, levantar y cobrar la caza. Muy activo. Habitualmente rojizo y blanco o blanco y negro. Altura: 51 cm.

Pelo de la nuca rizado

Extremo de la cola sin pelo

Perro de aguas irlandés ▶

Raza muy antigua. Gran trabajador. Bueno para cobrar las piezas caídas en el agua. Valiente. Pelo duro, corto y algo rizado, color carmelita oscuro. Altura: 51-58.

Perros de caza

Perro de aguas cocker ▶

Originario de las islas británicas. El cocker más popular. Estimado para exposiciones y como perro casero. Pelo bastante largo. Muchos colores, tales como negro, rojo, dorado y carmelita. Altura: 38-49 cm.

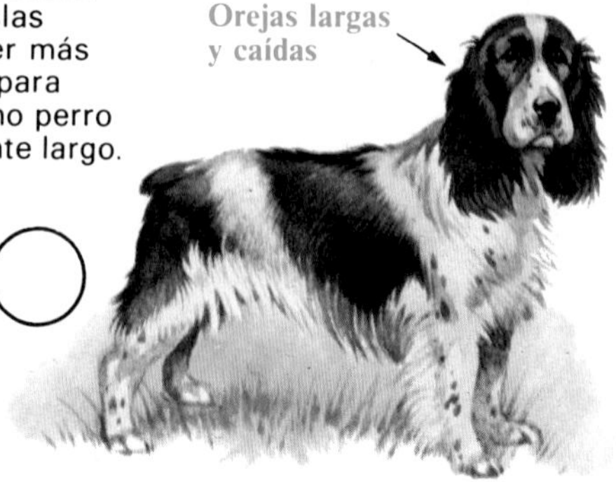

Orejas largas y caídas

Saliente

◀ Cocker americano

Muy diferente del cocker inglés, más pequeño, con la cabeza redondeada y más peludo, en especial sobre el cuerpo y las patas, donde abundan los flecos. Mezcla de colores, blanco o tostado. Altura: 34-39 cm.

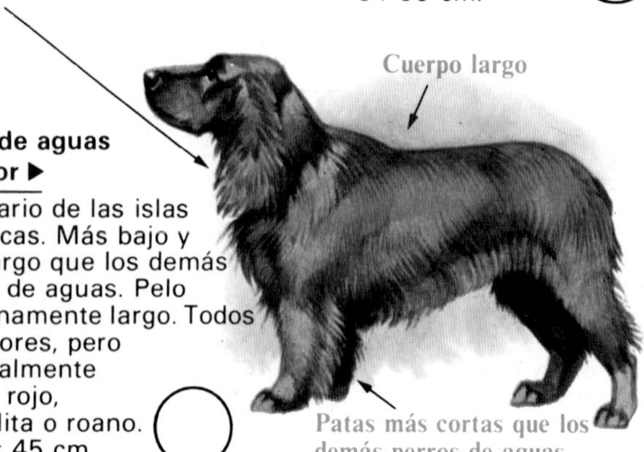

Orejas largas y caídas

Cuerpo largo

Perro de aguas cazador ▶

Originario de las islas británicas. Más bajo y más largo que los demás perros de aguas. Pelo medianamente largo. Todos los colores, pero habitualmente negro, rojo, carmelita o roano. Altura: 45 cm.

Patas más cortas que los demás perros de aguas

Perros de caza

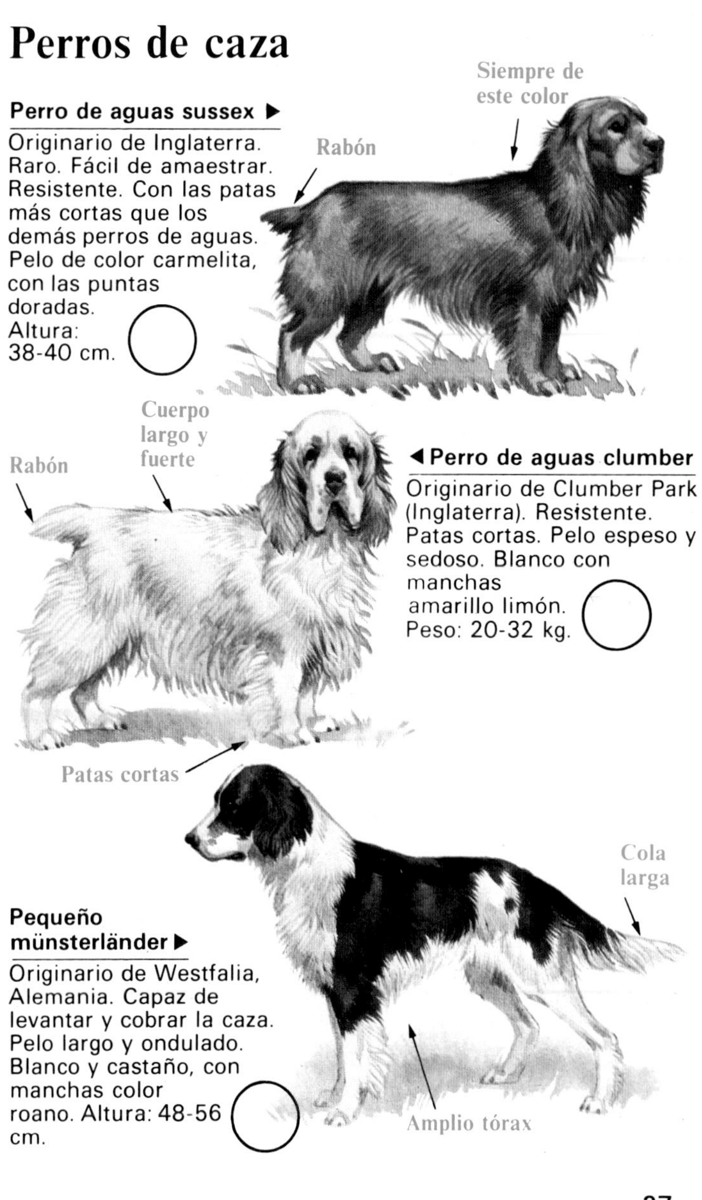

Perro de aguas sussex ▶

Originario de Inglaterra. Raro. Fácil de amaestrar. Resistente. Con las patas más cortas que los demás perros de aguas. Pelo de color carmelita, con las puntas doradas. Altura: 38-40 cm.

◀ Perro de aguas clumber

Originario de Clumber Park (Inglaterra). Resistente. Patas cortas. Pelo espeso y sedoso. Blanco con manchas amarillo limón. Peso: 20-32 kg.

Pequeño münsterländer ▶

Originario de Westfalia, Alemania. Capaz de levantar y cobrar la caza. Pelo largo y ondulado. Blanco y castaño, con manchas color roano. Altura: 48-56 cm.

Perros de caza

Perro cobrador de Chesapeake ▶

Originario de la costa oriental de los Estados Unidos. Inteligente. Pelo corto y ondulado. Pardo oscuro o canela claro. Altura: 53-66 cm.

Pelaje corto, ligeramente ondulado

◀ Perro cobrador de Labrador

Probablemente originario de Terranova. Popular perro cazador y doméstico; utilizado por la policía. Pelo corto y espeso, negro, amarillo o chocolate. Altura: 54-57 cm.

Pelo ensortijado

Perro cobrador de pelo rizo ▶

Perro británico. Buen trabajador. Cazador muy resistente. Puede cobrar las piezas caídas en el agua. Pelo espeso y ensortijado, color negro o carmelita. Altura: 63-68 cm.

Perros de caza

Perro cobrador de pelo liso ▶

Raza inglesa. Buen perro cobrador. Fuerte e inteligente. Pelo suave y liso, negro o carmelita. Altura: 51-61 cm.

Pelo liso

Flecos en la cola y parte posterior de las patas

Pelo largo, liso u ondulado, con mechones

◀ Perro cobrador dorado

Raza inglesa. Muy popular. Buen trabajador. Excelente perro casero. Pelo liso u ondulado. Color: cualquier tonalidad de crema o dorado. Altura: 51-61 cm.

Rabón

Weimaraner ▶

Perro deportivo de Weimar, Alemania. Amistoso. Pelo corto. Color gris plateado. Altura: 56-63 cm.

Pelo fino, muy corto

Perros de caza

Saliente

Perdiguero inglés o setter ▶

Antigua raza inglesa de perros de caza. Pelo largo y sedoso, ligeramente ondulado. Blanco y negro, limón y blanco, carmelita y blanco, tricolor. Altura: 61-68 cm.

Pelo largo, sedoso y ondulado

Flecos en las patas y cola

Flecos en las patas y cola

◀ Perdiguero gordon o setter gordon

Originario de Escocia. Fuerte. Un poco testarudo. Pelo largo, suave y sedoso, negro brillante con manchas color castaño. Altura: 66 cm.

Saliente

Siempre de este color

Perdiguero irlandés o setter irlandés ▶

Originario de Irlanda. Si se le entrena, trabaja bien. Cuello y cabeza largos. Pelo largo y sedoso, siempre de color castaño. Altura: 61 cm.

Amplio tórax

Perros de caza

Orejas largas y caídas

Siempre de este color

Pointer húngaro ▶

Originario de Hungría. Levanta la cabeza y cobra las aves abatidas. Pelaje corto, color arena amarillento. Altura: 57-64 cm. ○

Pelo corto, lustroso

◀ Pointer o perro de punta español

Originario de España. Muestra dónde está la pieza colocando el hocico, cuerpo y cola en línea hacia ella. Pelo liso y corto, negro o de otro color con blanco. Altura: 61-68 cm. ○

Cola larga y fina

Rabón

Perro de punta alemán ▶

Originario de Alemania. Levanta y cobra la caza. Amistoso. Pelo corto y duro, color carmelita o carmelita y blanco, moteado o tiznado. Altura: 63-66 cm. ○

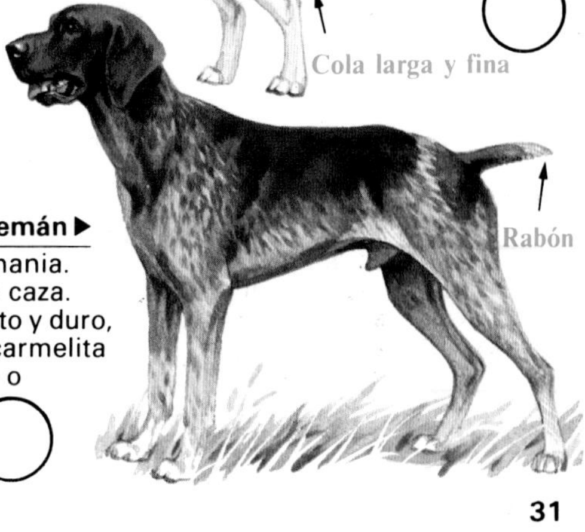

Perros de compañía

Muchas de estas razas originariamente fueron utilizadas para efectuar trabajos diversos, pero hoy son utilizadas como perros caseros. Todos son excelentes perros de compañía.

Orejas anchas, "a lo murciélago"

Bulldog francés ▶

Diferente del bulldog inglés. Posee grandes orejas que recuerdan a las de los murciélagos. Muy amigable. Pelo corto, moteado, cervato o entrepelado.
Altura: 26-35 cm. ◯

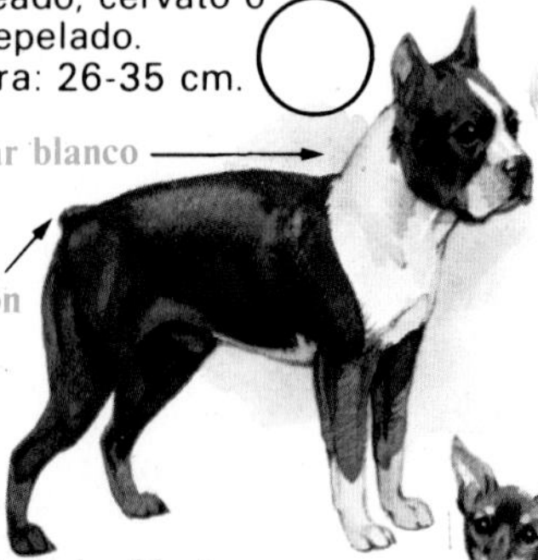

Collar blanco

Rabón

◀ Perro de busca boston

Originario de Estados Unidos. Vivaracho y listo. Pelo corto y luciente. Cabeza ancha y globosa. Blanco moteado o blanco y negro. Altura: 40 cm. ◯

Faldero inglés ▶

Llamado también "negro y canela". Miniatura del perro de busca manchester. Muy valiente. Excelente cazador de ratas. Pelo corto y liso, siempre negro y canela.
Altura: 25-30 cm. ◯

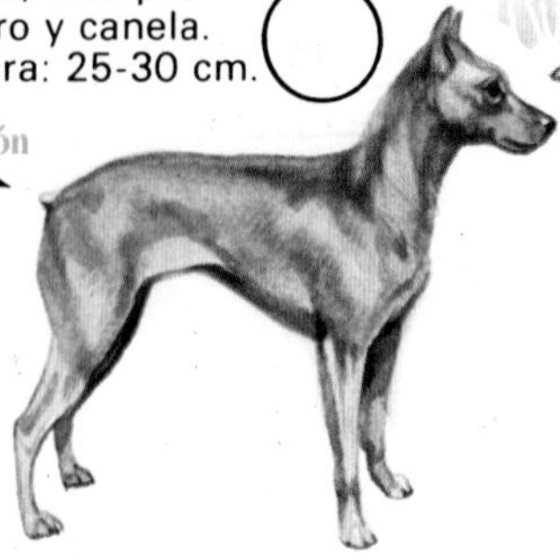

Rabón

◀ Pinscher

Miniatura del pinscher alemán. Perspicaz. Pelo corto y liso, rojo, negro, azul o chocolate con manchas canela.
Altura:
25-36 cm. ◯

Perros de compañía

Faldero chino ▶

Originario de China. El rey Guillermo III lo llevó a la corte inglesa en el siglo XVII. Muy amigable. Pelo corto y brillante, cervato o negro. Altura: 33 cm.

Cola curvada sobre el dorso

Arrugas

Hocico negro

◀ Chow-chow o perro cantonés

Originario de los templos de China, es hoy uno de los perros mimados más populares. Tiene un cierto aspecto de león. Pelo largo y espeso, negro, rojo, azulado, cervato o crema. Altura: 45 cm.

Perro leoncito ▶

Llamado también löwchen. Raza antigua y rara. Probablemente procede del área mediterránea. Pelo largo. Temperamento agradable. Normalmente negro, blanco, gris o crema. Altura: 25 cm.

Penacho en la cola

Cresta de pelo

◀ Perro crestado chino

Esta raza originariamente pudo proceder de México o de África. Casi totalmente sin pelo. Color rosado, azulado, malva o blanco, con manchas. Altura: 33 cm.

Perros de compañía

Perro de aguas caballero rey carlos ▶

Originario de las islas británicas. Pelo largo y sedoso, negro y canela, rojo y blanco, rojo y tricolor. Pesa unos 8 kg.

Orejas largas y peludas

Hocico corto

◀ Perro de aguas rey carlos

Favorito en la corte del rey Carlos II de Inglaterra. Más pequeño que el anterior. Pelo largo y sedoso, negro, canela, rojo o tricolor. Pesa unos 6 kg.

Perro de aguas tibetano ▶

Raza originaria de las montañas del Tíbet. Parece un pequinés. Pelo largo y liso. Dorado, crema, blanco, negro o tricolor. Altura: 24-28 cm.

Cola recurvada

◀ Bichón de pelo rizo

Probablemente originario de España. Típico faldero. Pelo blanco y sedoso, pero con frecuencia con manchones grises sobre la piel. Altura: 20-30 cm.

Pelo blanco y sedoso

Perros de compañía

Cráneo redondeado

Tchin japonés ▶

Faldero probablemente originario de China. Antaño un favorito de los emperadores japoneses. Pelo largo, blanco, con manchones rojos o negros. Altura: 30 cm.

Orejas largas y peludas

◀ Papillón

Llamado "perro mariposa" a causa de la forma de su cabeza y orejas. Originario de Francia. Pelo largo, blanco con todos los colores excepto carmelita. Altura: unos 28 cm.

Pomerano inglés ▶

Una miniatura del pomerano finlandés, originario de Pomerania. Popular perro faldero. Pelo largo, rojo, azul, naranja, blanco, negro o castaño. Altura: unos 28 cm.

La cola reposa sobre el dorso

Melenas

◀ Grifón enano

Minúsculo perro originario de Alemania. Representado con frecuencia en los cuadros alemanes antiguos. Parece un monito. Pelo duro y generalmente negro. Altura: unos 28 cm.

Perros de compañía

Bigotes y barba

Cola recurvada sobre el dorso

Perro león tibetano ▶

Originario de China. Pequeño pero valiente. Cráneo redondeado. Pelo largo, todos los colores. Altura: unos 27 cm.

Cola peluda arqueada sobre el dorso

◀ Maltés

Raza muy antigua de perro faldero, originaria de Malta. Aparece con frecuencia en cuadros y fotografías como faldero. Cuerpo y patas cortos. Pelo largo de color blanco puro. Altura: 20-25 cm.

Pequinés ▶

Originario de China, donde antaño era un mimado de la corte. Pelo largo. Todos los colores excepto carmelita. Altura 15-25 cm.

Cola recurvada sobre el dorso

Bigotes y barba

◀ Apso tibetano

Originario del Tíbet. Muy vivaracho. Frecuente en las exposiciones caninas. Pelo largo y duro, generalmente dorado, arena o gris. Altura: 25-28 cm.

Perros de compañía

Perro de busca australiano sedoso ▶

Raza australiana obtenida a partir del perro de busca de Yorkshire y del perro de busca australiano. Pelo largo y sedoso. Plateado, o azul con manchas canela. Altura: 22 cm.

Orejas erguidas

◀ Perro de busca de Yorkshire

Pequeño terrier inglés. Muy popular como faldero. Buen cazador de roedores. Pelo largo, lacio y sedoso, azul oscuro o canela. Altura: 18-20 cm.

Pelo muy largo, con raya sobre el lomo

Grifón de Bruselas ▶

Originario de Bélgica. Vivaracho faldero. Pelo duro, áspero y corto, rojo, negro, o negro y canela. Máximo, 4,5 kg. de peso.

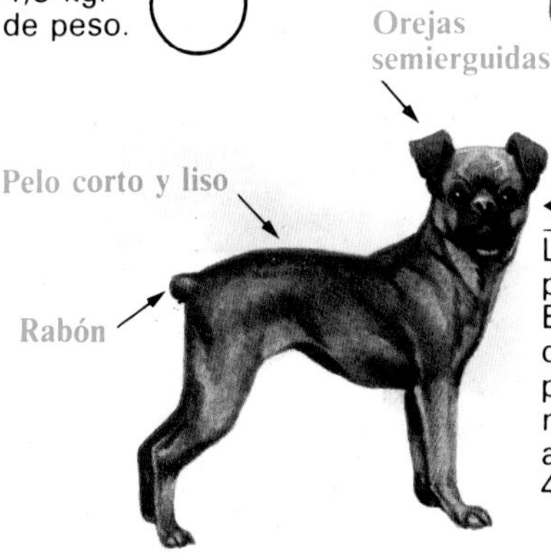

Rabón

Bigote espeso

◀ Grifón brabançon

Llamado también grifón de pelo liso. Originario de Bélgica. Se parece al grifón de Bruselas, pero con el pelo corto. Tiene los mismos colores que aquél. Pesa unos 4,5 kg.

Orejas semierguidas

Pelo corto y liso

Rabón

Perros de compañía

Chihuahua de pelo liso ▶

Llamado también perro decorativo y perro de cojín. Originario de México. Muy popular como faldero. Pelo fino. Pesa alrededor de 2,5 kg.

Cola aplanada

◀ Chihuahua de pelo largo

Originario de México. Entre los perros de raza es el de menor tamaño. Pelo largo y sedoso con flequillos. Todos los colores. Tan pequeño como sea posible.

Cola con flequillos

Faldero o "de cojín"

Pelo esquilado "a lo león"

Perro de lanas (caniche) ▶

Llamado también perro de aguas francés. Probablemente procede de Alemania. Pelo duro, rizado y muy espeso, negro, blanco, castaño, azul o de otro color. Tamaños admitidos: continente europeo: faldero, 35 cm.; miniatura, 45,5 cm.; estándar, 56 cm. Inglaterra: faldero, 28 cm.; miniatura, 38 cm.; estándar, más de 38 cm. U.S.A.: faldero, 25,5 cm.; miniatura: 38 cm.

Estándar

Miniatura

Perros de busca

Los perros de busca o terriers son pequeños y muy activos. Se utilizaron en la caza de animales escondidos en sus madrigueras. Casi todas las razas de terriers provienen de las islas británicas.

Perro de busca blanco o west highland ▶

Originario de Escocia. Popular perro casero. Dos capas de pelo, una larga y otra corta, más suave, siempre blanco. Altura: alrededor de 28 cm.

◀ Perro de busca escocés

Llamado también terrier de Aberdeen. Perro casero y de exposición. Inteligente. Pelo duro y largo, negro con reflejos grises o castaño. Altura: 25-28 cm.

Perro de busca sealyham ▶

Originario de Gales, donde se le utilizaba para cazar, formando parte de las jaurías. Difícil de amaestrar. Pelo largo y áspero, blanco, a veces con manchas amarillas en la cabeza y orejas. Altura: unos 30 cm.

Cabeza ligeramente curvada

◀ Ratonero escocés o cairn

Originario de Escocia. Muy parecido al perro de busca blanco. Uno de los terriers más pequeños. Pelo largo y duro, rojo, arena, gris, moteado de pardo o negruzco. Altura: 24-26 cm.

Orejas pequeñas, puntiagudas y erguidas

Perros de busca

Perro de busca norwich y **perro de busca norfolk** ▶

Dos razas muy parecidas, procedentes ambas de East Anglia, Inglaterra. La primera tiene las orejas erguidas; la segunda, sólo semierguidas. Pelo áspero, rojo, negro y canela, arena o grisáceo. Altura: 25 cm.

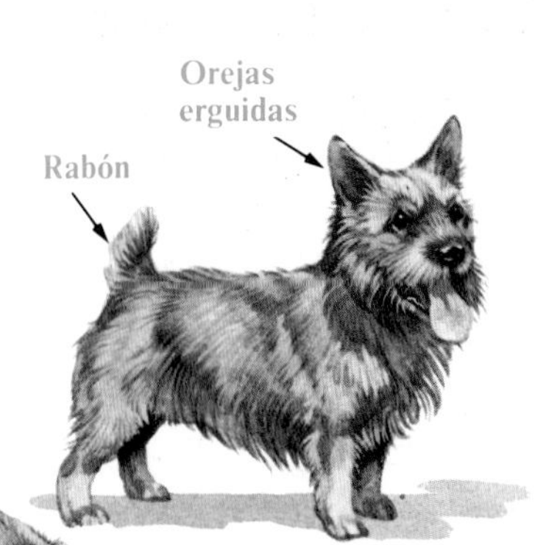

◀ **Perro de busca de la frontera**

Utilizado con frecuencia por los cazadores ingleses. Muy activo. Pelo áspero e impermeable, rojo, trigueño, gris y canela o azul y canela. Altura: 26-30 cm.

Perro de busca australiano ▶

Popular en Australia y Nueva Zelanda. Robusto y amigable. Pelo duro y lacio, rojo, o azul y canela. Altura: 25 cm.

Orejas erguidas

Rabón

Cabeza grande y ancha

Cola curvada

◀ **Perro de busca dandie dinmont**

Llamado así por figurar con este nombre en una novela de Walter Scott. Pelo mezclado, suave y duro, color pimienta o mostaza. Altura: 20-28 cm.

Perros de busca

Orejas semierguidas

Cabeza alargada

Perro de busca bingley ▶

Llamado también airedale, por el valle de Aire, en Yorkshire, Inglaterra. Raza grande. Utilizado para cazar roedores. Fuerte y fácil de amaestrar. Pelo áspero y duro, negro o gris y canela.
Altura: 55-61 cm.

◀ Perro de busca lakeland

Utilizado para la caza en el norte de Inglaterra. Menor que el bingley. Pelo áspero y espeso, varios colores.
Altura: 37 cm.

Orejas semierguidas, dobladas hacia delante

Bigotes y barbas

Perro de busca galés ▶

Utilizado en Gales para cazar. Fuerte, bueno como perro guardián y como perro doméstico. Pelo duro y áspero, negro o canela.
Altura: 39 cm.

◀ Perro de busca azul

Originario de Irlanda, donde se le utiliza para cazar zorros, tejones y otros animales. Popular perro de exposición. Vivaracho y amigable. Pelo suave y ondulado, color azul, en diferentes tonos.
Altura: 45-48 cm.

Perros de busca

Orejas semierguidas

Pelo corto y áspero

Perro de busca irlandés ▶

Originario de Irlanda. Peleón con los demás perros, pero amigable con las personas. Pelo medianamente largo. Color: diferentes matices de rojo. Altura: 45 cm.

Moño enmarañado

Dorso arqueado

◀ Perro de busca bedlington

Originario de Northumberland, Inglaterra. Tiene el aspecto de un corderillo. Muy fiero. Pelo espeso y ondulado, azul, carmelita, arena o mezclado. Altura: 40 cm.

Perro de busca de pelo liso ▶

Originario de Inglaterra. Vivaracho e inteligente. Pelo corto, duro y liso, mayormente blanco. Altura: 37-39 cm.

Lomo corto

Hocico afilado

Hocico largo y cuadrangular

Lomo corto

Velludo

◀ Perro de busca de pelo duro

Parecido al de pelo liso, pero su pelaje es más largo y áspero. Es el foxterrier más conocido. Blanco, con manchones canela o negro. Altura: 37-39 cm.

Perros de busca

Pelo corto y lustroso

Perro de busca de Manchester ▶

Originario del norte de Inglaterra, donde se le utilizaba para cazar ratas. Inteligente y vivaracho. Pelo corto y lustroso, negro con manchas canela. Altura: 38-40 cm.

Cabeza ovoide

◀ Perro de busca alano

Originario del Midland inglés. Tiende a luchar con los otros perros. Amigable con las personas. Pelo corto y liso, blanco, a veces con manchones, o de otros colores. Altura: 40 cm.

Orejas semierguidas

Perro de busca dogo ▶

Perro luchador, originario del Midland inglés. Amigable con los niños. Pelo corto y lustroso, rojo, pardo, azul o negro. Altura: 35-40 cm.

Patas cortas

◀ Perro de busca jack russell

Este nombre, con frecuencia se usa incorrectamente para denominar diferentes tipos de terriers de pequeña talla. Pelo corto, blanco con manchas de otros colores.

Perros de trineo

Todos estos perros fueron usados antaño para arrastrar trineos sobre la nieve y el hielo, en el Antártico, y eran criados especialmente para este menester. Hoy, en vez de trineos se utilizan vehículos a motor.

Malamute de Alaska ▶

Recibió su nombre de una tribu esquimal. Perro grande y fuerte. Inteligente. Pelo espeso, de gris a negro, blanco en la parte inferior del cuerpo. Altura: 50-63 cm.

◀ Perro esquimal

Utilizado antaño en Siberia como perro de pastor, para arrastrar trineos y como perro casero. Buen trabajador. Palo largo y espeso, pero suave; todos los colores, con manchones blancos. Altura: 51-59 cm.

Samoyedo ▶

Originario de Rusia. Utilizado todavía hoy en las carreras de trineos y para guardar las manadas de renos. Pelo largo y liso; blanco plateado, puede tener manchones color crema. Altura: 54-53 cm.

Perros rastreadores

Estos perros tienen muy desarrollado el sentido del olfato. Localizan las piezas olfateando su rastro. En sus países de origen, todos son perros de caza populares.

Sabueso noruego ▶

Originario de Noruega, donde se le utilizaba para cazar alces. Puede resistir temperaturas muy bajas. Pelo espeso y duro, color gris. Altura: 47-52 cm.

Orejas erguidas y puntiagudas

Cola muy curvada

Loma de pelo sobre el espinazo, bifurcada en la cruz

◀ Perro alomado rodesiano

Originario de Rodesia Utilizado como perro guardián y para cazar leones. Valiente luchador. Pelo corto y lustroso; color: de amarillo a rojizo Altura: 61-68 cm.

Cola curvada cayendo sobre el muslo

Melena

Pomerano finlandés ▶

Originario de Finlandia, donde se le utilizaba para cazar. Buen guardián. Ruidoso. Pelo largo; color: rojo dorado a rojo pardo. Altura: 39-44 cm.

Perros rastreadores

Sabueso basset ▶

Originario de Francia. Buen temperamento. Pelo corto y liso, puede ser de cualquiera de los colores reconocidos para los sabuesos. Altura: 35-38 cm.

Orejas muy largas y caídas

Orejas largas y caídas

Patas cortas

◀ Grifón basset

Originario del sudoeste de Francia, donde fue utilizado para cazar liebres. Pelo bastante largo, mayormente blanco con manchones de otro color. Altura: 34-43 cm.

Sabueso pequeño ▶

Originario de Inglaterra. La reina Isabel I de Inglaterra gustaba de utilizarlos para cazar. Popular perro doméstico. Muy amigable. Pelo corto y duro, cualquier color de sabueso. Altura 34-40 cm.

Mantiene alta la cola

Cola recurvada

◀ Terrier de caza congolés

Originario del Congo, África, donde era utilizado para la caza del antílope. Negro, rojo, castaño o negro y canela con blanco. Altura: 40-43 cm.

Perros rastreadores

Sabueso de San Huberto ▶

Descendiente de los sabuesos del monasterio de San Huberto, en las Ardenas (Francia). Excelente olfato. Utilizado por la policía para seguir el rastro de los criminales. Pelo corto y lustroso, negro o carmelita y canela, a veces rojo. Altura: 61-66 cm.

Orejas muy largas y caídas

La piel forma pliegues en la cabeza

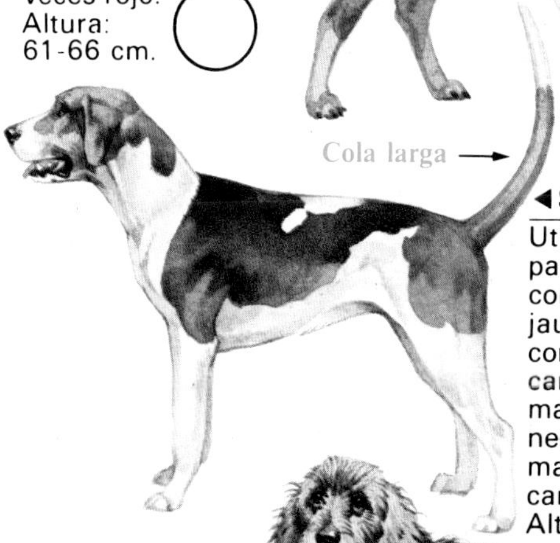

Cola larga

◀ Sabueso zorrero

Utilizado con frecuencia para cazar, como uno de los componentes de las jaurías. Amigable. Pelo corto y liso, habitualmente canela, con manchas blancas y negras, o blanco con manchones negros, canela o limón. Altura: 53-63 cm.

Pelo áspero

Perro cazador de nutrias ▶

Raza inglesa, criada especialmente para cazar nutrias. Buen nadador. Pelo bastante largo y duro, habitualmente de color cervato o gris con manchas negras y canela. Altura: 61-66 cm.

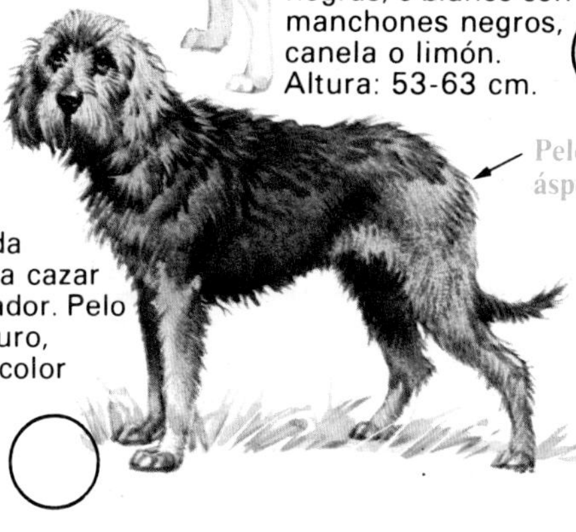

Perros rastreadores

Perro tejonero de pelo liso ▶

Sus antepasados podrían localizarse en Alemania. Utilizado antaño para desalojar a los tejones de sus madrigueras y como perro de caza. Pelo corto y liso; todos los colores menos blanco. Peso no superior a 11 kg.

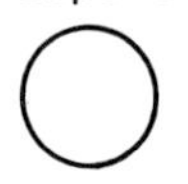

Orejas largas y caídas

Pelo corto y liso

Hueso saliente en el pecho

◀ Perro tejonero de pelo largo

Un favorito de los cazadores deportivos y también perro casero. Pelo largo y sedoso, pardo, rojo, negro y canela o moteado. Peso no superior a 11 kg.

Cola con flecos

Cejas

Barbas

Perro tejonero de pelo duro ▶

Utilizado para cazar jabalíes y para acosar a otras piezas en sus madrigueras. Pelo relativamente corto; todos los colores. Peso no superior a 9 kg.

Pedigrees, cruces, mestizos

El pedigree es un árbol genealógico que recoge la historia de los antepasados de un perro. Si un perro tiene antepasados de la misma raza, registrados al menos durante tres generaciones anteriores a él, posee **pedigree**.

El pedigree de algunos perros se remonta a veces a siglos anteriores, especialmente en Oriente y Oriente Medio. Hoy día los registros de los pedigrees son custodiados por clubs y sociedades especializadas, tales como la "International Sheepdog Society". Los poseedores de perros de raza, por lo común registran el pedigree de los cachorros inmediatamente después de nacer. Si usted compra un perro con pedigree, le entregarán la historia de toda su genealogía en un certificado especial.

Un perro cuyos padres sean de la misma raza es un **pura raza**. Si los padres son de razas diferentes, es un **cruce** o **perro cruzado**, lo cual no es lo mismo que un mestizo. Un perro **mestizo** es el producto del cruce de varias razas o aquel cuyos padres son desconocidos o cruzados.

Árbol genealógico de un perro cruzado

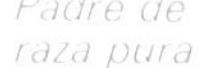

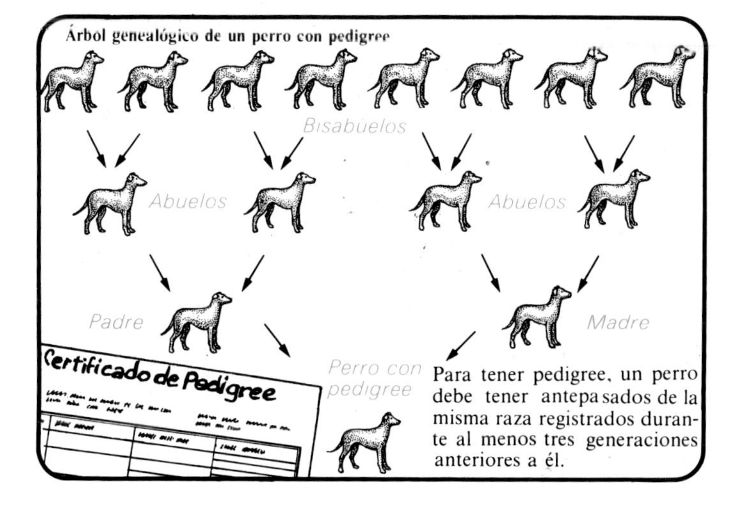

Árbol genealógico de un perro con pedigree

Para tener pedigree, un perro debe tener antepasados de la misma raza registrados durante al menos tres generaciones anteriores a él.

Elegir un cachorro

Considere cuidadosamente la elección de un cachorro. No compre el primero que vea por mucho que le guste. Antes de comprar un perro pregúntese acerca de él lo siguiente: ¿Dónde lo va a tener, en un local pequeño o en un gran jardín? ¿En qué medida es usted capaz de atenderlo? ¿Puede proporcionarle la alimentación adecuada? ¿Desea usted un perro o una perra? ¿Le molesta encontrar pelos de perro por la casa? ¿Va a tener el perro como un capricho, como guardián, o ambas cosas? ¿Piensa usted en un animal con pedigree o en un mestizo?

A continuación considere qué raza precisa. Observe las figuras de este libro. Cuando haya decidido la raza, vaya a una tienda acreditada. Compre su cachorro a un criador especializado en la raza en cuestión.

Elija un cachorro sano

Elija el cachorro indicado

Elija un cachorro vigoroso que despierte su interés, pero procure no elegir uno demasido intrépido (podría resultarle difícil amaestrarlo), o uno muy tímido (podría ser nervioso toda su vida). No compre si cualquiera de los perritos parece enfermo.

Alimentar al perro

Un perro bien alimentado tiene buen aspecto y está sano. Su dieta debe incluir proteínas, vitaminas, minerales y alimentos energéticos. Muchos de los alimentos envasados contienen estos elementos en las proporciones correctas, pero si usted alimenta a su perro con carne cruda, debe añadirle galletas, minerales y vitaminas. Los huesos o la harina de huesos le proporcionará el calcio que necesita, y un hueso grande, que no pueda romper o aplastar, le permitirá ejercitar sus dientes y mandíbulas.

Cuide de no sobrealimentar a su perro dándole sobras o alimentos entre comida y comida.

Si está preocupado por la alimentación de su perro, consulte a un veterinario o póngase en contacto con un fabricante de alimentos para perros. Los cachorros tienen exigencias alimentarias especiales; consulte con el veterinario si tiene dudas y desea asesorarse convenientemente.

La cantidad de comida que debe dar a su perro depende del tipo de alimento y del tamaño del animal. Más abajo damos algunos ejemplos. La expresión "carne y galletas" se refiere a una mezcla a partes iguales de carne picada y galletas para perros. La carne magra tiene un bajo valor energético; por ello, si sustituye ésta por carne picada, aumente la proporción de galleta en un 50 %.

Cantidad aproximada de alimento que deberá dar a su perro cada día

TEJONERO MINIATURA

110 gr. de alimento seco o 175 gr. de carne y galleta o 350 gr. de alimento enlatado

PERRO DE BUSCA (FOXTERRIER)

230 gr. de alimento seco o 300 gr. de carne y galleta o 550 gr. de alimento enlatado

COBRADOR DE LABRADOR — *GRAN DANÉS*

Cobrador de Labrador: 450 gr. de alimento seco o 550 gr. de carne y galleta o 1,5 kg. de alimento enlatado

Gran Danés: 700 gr. de alimento seco o 1,2 kg. de carne y galleta o 2,5 kg. de alimento enlatado

Cuidar al perro

Acostumbre a su perro tan pronto como le sea posible a que acepte el ser acicalado. Si tiene el pelo corto, utilice un guante especial. Los perros de pelo corto sólo necesitan ser cepillados una o dos veces por semana. Si tiene el pelo largo necesitará un cepillo de cerdas cortas y un peine de acero. Los perros de pelo largo necesitan ser cepillados a diario. Primero utilice el peine y después el cepillo. Recoja los pelos desprendidos, envuélvalos en un papel y quémelos. Los perros de lanas y los terriers necesitan ser peinados con regularidad.

Los perros de más de seis meses deben ser bañados al menos una vez al mes. Use un champú especial para perros. No use detergentes, carbólicos o desinfectantes. Séquelo con una toalla adecuada para que no se enfríe.

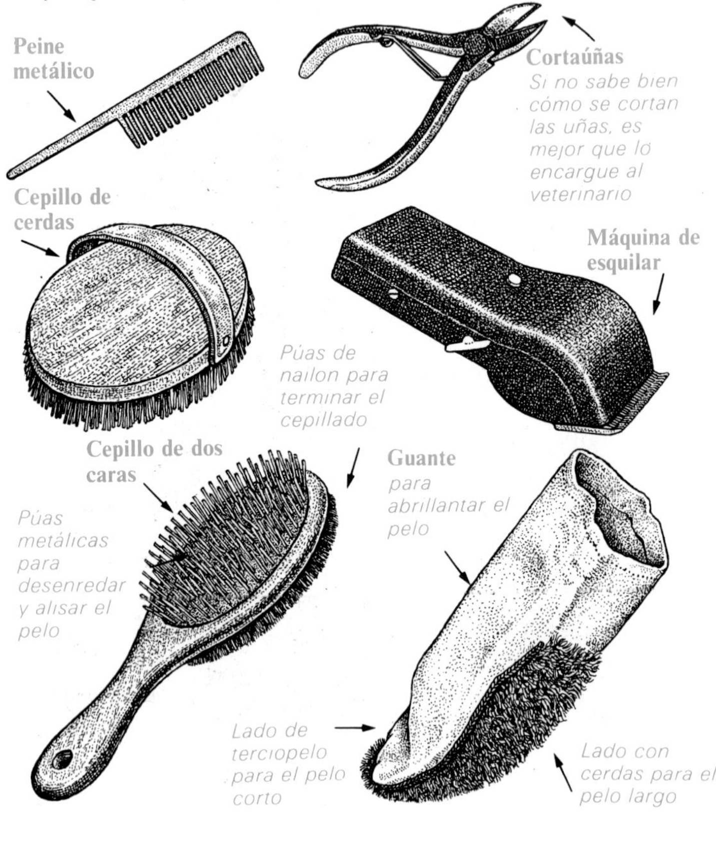

Exhibir un perro

Exhibir un perro puede ser muy divertido. En las exposiciones caninas encontrará otras personas a las que también gusten los perros. Además, el prepararlo puede resultar muy estimulante, igual que el presentarlo en público y quizás ganar un premio.

En las revistas especializadas encontrará información acerca de las exposiciones que vayan a celebrarse. Será una buena idea visitar previamente alguna exposición antes de concursar con su propio perro. Se dará cuenta de cómo juzgan los jueces y podrá formarse una idea de cómo debe educar, preparar y exhibir a su propio perro de raza. Para que un perro pueda ser exhibido debe estar bien cuidado, sano y ser obediente.

Enfermedades

Cuando compre un perro, llévelo al veterinario tan pronto como le sea posible. Llame siempre al veterinario si el perro tiene síntomas de no estar bien.

Un perro puede estar mal si se comporta de forma rara, si se muestra lento, inactivo, o pasa mucho tiempo durmiendo; si tiene diarrea, se rasca mucho, balancea la cabeza, restriega la cara contra el suelo o huele mal.

Necesitará tratamiento urgente si tiene fiebre alta, diarrea sanguinolenta, convulsiones o si no puede orinar.

Tenga un botiquín de primeros auxilios para su perro. Deberá contener pastillas vermífugas, pomada para los ojos, magnesia efervescente (para los trastornos de estómago), polvos insecticidas y desinfectantes. Todo esto podrá adquirirlo en la clínica veterinaria, en la farmacia o en una tienda dedicada a la venta de animales.

Deberá vacunarlo contra el moquillo, la hepatitis, la ictericia y la nefritis.

Recuerde siempre: **si su perro no está bien, llame al veterinario.**

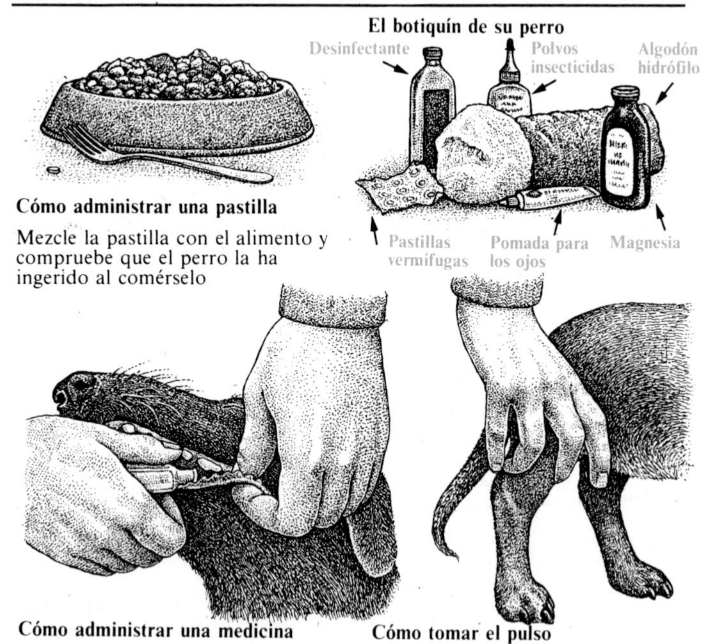

El botiquín de su perro

Cómo administrar una pastilla

Mezcle la pastilla con el alimento y compruebe que el perro la ha ingerido al comérselo

Cómo administrar una medicina

Ponga la medicina en una botellita, forme una bolsa con la piel de los labios del perro y vierta en ella la medicina

Cómo tomar el pulso

Tome el pulso en la cara interior del muslo. Contará unas 70-90 pulsaciones por minuto.

Comprenda a su perro

Los antepasados del perro doméstico vivían en manadas, con un líder. Si su perro ve en usted a su líder, le obedecerá. La educación es por tanto muy importante, y, si se hace correctamente, el animal disfrutará mientras se educa.

Un perro no puede entender lo que usted le diga, pero puede interpretar y recordar sonidos y tonos de voz. Puede recordar voces de mando tales como "sienta", "tumba", etc., y el sonido de su nombre, pero no puede entender el lenguaje.

Si su perro es desobediente, no le pegue nunca o le grite. La primera vez que necesite regañar a su perro, cójalo por el pescuezo y diga simplemente "no" con voz firme. El perro asociará la voz "no" con una represión, y cada vez que la repita sabrá que aquello no debe hacerlo.

Lenguaje del perro

Un perro demuestra su estado de ánimo por medio de actitudes. Indicamos algunas de las posturas más comunes.

Juguetón

Este perro está pidiendo jugar

Agresivo

El cuerpo se pone rígido y el pelo erizado

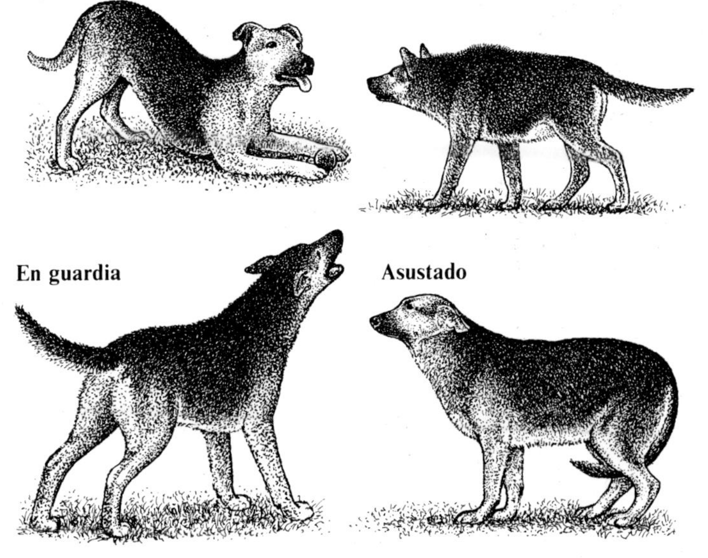

En guardia

Posición de alerta

Asustado

Esconde la cola entre las patas

Amaestrar al perro

Amaestrar a su perro puede requerir largo tiempo y mucha paciencia. No pierda nunca la calma. Primero acostumbre al animal al sonido de su voz. Pronto descubrirá por el tono de su voz cuándo está contento o disgustado con él. Enséñele a reconocer el sonido de su nombre lo antes posible. Escoja un nombre corto y sencillo.

Empiece las sesiones de entrenamiento mientras el animal sea joven, pero hágalas cortas. Las órdenes deben ser sencillas. Haga hincapié en voces tales como "no", "sienta", "quieto", "ven", etc., y use diferente tono de voz para cada una. Una expresión cariñosa es la mejor recompensa.

Su cachorro deberá ser educado de forma que pueda estar en casa, pero lo mejor es sacarlo fuera inmediatamente después de cada comida. Si es posible llévelo a un lugar reservado para él en el jardín; de no ser así, enséñele a usar el borde de la acera en una calle tranquila.

Código del poseedor de un perro

1. Proporciónele cama propia, no le permita dormir en la de usted.
2. Aliméntelo a horas regulares. No le dé golosinas entre horas.
3. Póngale el alimento en un recipiente propio. Lávelo y manténgalo aparte de la vajilla familiar.
4. Mantenga limpio a su perro.
5. No le permita hacer ruidos que molesten a los vecinos.
6. Preocúpese de que mientras está usted fuera, o de vacaciones, alguien cuide del animal.
7. Déjelo ejercitarse en lugares permitidos.

Asegúrese de que el perro lleva un collar resistente

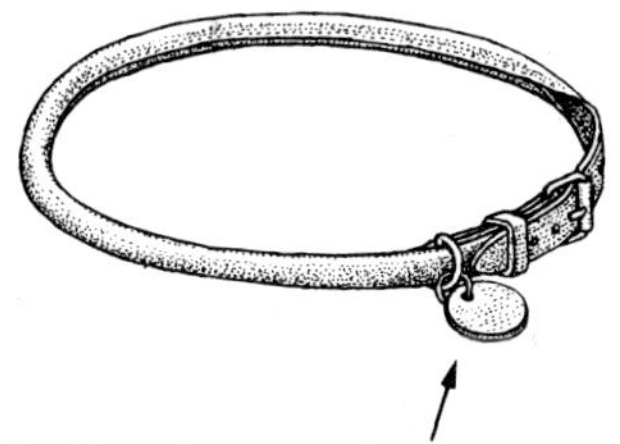

Colóquele una placa con su nombre y dirección

Por la calle, lleve al perro sujeto por la traílla

No deje nunca al perro sacar la cabeza fuera a través de la ventanilla del coche

8. Sujételo con la traílla cuando pase cerca de carreteras o de granjas de animales.
9. No lo deje entrar en tiendas de alimentación.
10. No le permita vagabundear.
11. No permita que incomode a las personas. A algunas personas no les gustan los perros y los niños pueden asustarse.
12. Acostúmbrelo a obedecer.
13. Asegúrese de que el veterinario conoce a su perro. No espere a tener una emergencia.
14. Vea al veterinario si no quiere que su perra tenga cachorros.

Perros de trabajo

El collie de la frontera vigila constantemente al grupo de ovejas para que permanezcan quietas

El amo hace una señal con la mano al perro para que suelte la pieza

Perros ovejeros

Los perros han sido utilizados durante siglos para cuidar de las ovejas y otros ganados. Son enseñados a reunir, conducir y guiar a los animales. Entre los perros ovejeros se incluyen: el collie de la frontera, en Inglaterra; el pastor alemán o alsaciano, en Alemania; el kelpie australiano, en Australia y Nueva Zelanda.

Perros cobradores

Los perros llamados cobradores y los pachones permanecen quietos hasta que el cazador ha disparado; después cobran la pieza y la sueltan junto al cazador a una señal de la mano. También son utilizados para levantar la caza. Los perdigueros (setter) y los perros de punta (pointer) indican la situación de la caza con la cabeza.

Este perro ha sido amaestrado para atacar a las personas a quienes persigue

Perros policía

Las fuerzas de policía de todo el mundo utilizan perros. La raza favorita es el pastor alemán, pero también utilizan al perro cobrador de Labrador, al dobermann, al perro de rebaño rottweil y otras razas grandes, fuertes e inteligentes. Les enseñan a atacar únicamente a las personas a quienes persiguen.

Este perro guía ha conducido a su amo al paso de peatones para cruzar la calle

Perros guía

Estos perros llevan un arnés especial alrededor del pecho y espalda; dicho arnés posee un asa que la persona ciega sujeta cuando el perro la lleva. Mientras son cachorros, permanecen en las ciudades para que se acostumbren a los ruidos. A los cinco meses empiezan a recibir un entrenamiento especial.

Vocabulario

Alimaña - Animal perjudicial, especialmente para la caza menor.

Anteojos - Anillos de pelo oscuro alrededor de los ojos.

Barbas - Pelos duros y más largos sobre el mentón y las mejillas.

Capa - Pelaje del perro. Algunos tienen dos capas, una de pelo largo, más o menos duro, y otra de pelo corto, suave y espeso.

Caza deportiva - Aquella en que se cobran piezas por el solo placer del deporte.

Collar - Banda de pelo más largo y espeso alrededor del cuello.

Destemplanza - Enfermedad del perro; puede manifestarse con tos, catarro o debilidad general.

Faldero - Perro de pequeño tamaño que habitualmente se lleva en brazos o se le tiene en el regazo.

Flecos - Mechones de pelo más largo; aparecen en las patas y cola.

Hepatitis - Enfermedad del hígado.

Hocico - Parte más saliente de la cabeza del perro; incluye la nariz y la boca.

Ictericia - Enfermedad en la que el blanco de los ojos del perro se torna amarillo.

Lucero - Con una mancha blanca en la cabeza, entre los ojos.

Máscara - Mancha de color oscuro sobre el hocico.

Montería - Caza de animales salvajes, por deporte.

Nefritis - Enfermedad del riñón.

Orejas de murciélago - Orejas anchas y cortas, con la punta roma.

Orejas recortadas - Orejas a las que se ha cortado la parte colgante del lóbulo.

Rabón - Dícese del perro al que se le ha amputado parte del rabo, normalmente por razones de estética.

Vitaminas - Substancias presentes en diferentes alimentos, normalmente en pequeñas cantidades, que son vitales para el desarrollo normal del individuo.

Colores

Arlequín - Coloración en manchones, generalmente blancos, grises y negros.

Azul - Gris azulado.

Blanco y canela - Manchas de color canela sobre fondo blanco. Generalmente aparecen sobre la cabeza, las patas y el pecho.

Canela - Castaño claro.

Carmelita - Pardo rojizo oscuro.

Cibelino - Capa negra sobre un fondo rojizo claro.

Dorado - Color ambarino o de miel.

Gris metálico - Reflejos más o menos azulados sobre un fondo gris.

Limón - Amarillo muy pálido.

Listado - Mezcla de pelo claro y oscuro; generalmente forma rayas oscuras sobre fondo pálido.

Malva - Gris rosado.

Manchado - Dos colores en manchas desiguales.

Mostaza - Amarillo tostado.

Moteado - Salpicado de pequeñas manchas.

Naranja - Rojo amarillento.

Pimienta - Gris subido.

Plateado - Gris claro con reflejos brillantes.

Roano - Mezcla de blanco con otros colores.

Tricolor - Pelo negro, canela y blanco entremezclado.

Trigo - Tostado pálido.

Bibliografía

BENGTSON, B., y A., WINTZELL:
—**Todos los perros del mundo.** Editorial Juventud. Barcelona.

ENCICLOPEDIA CANINA. Editorial Noguer, Anesa y Rizzoli.

ENCICLOPEDIA DEL PERRO. Editorial Urmo.

FERRÁN ANDREU, J. M.: **Los retriever.** Editorial Vecchi.

FIORONE, L.:
—**El dobermann.**
—**El alano.**
Editorial Vecchi.

GANNON, R.: **El setter irlandés.** Editorial Vecchi.

GÓMEZ-TOLDRÁ, S.:
—**El collie.**
—**El dálmata.**
Editorial Vecchi.

HUBBARD, C.: **El libro de los perros.** Editorial Juventud.

SCHNECK, S., y M., Norris: **El cuidado del perro, de la A a la Z.** Editorial Vecchi.

STAMM, G. W.: **Guía veterinaria de los perros.** Editorial Vecchi.

Tabla de puntuación

En esta tabla de puntuación, los nombres de los perros aparecen ordenados alfabéticamente. Cuando observe algún ejemplar de las razas reseñadas, anote la fecha en la casilla correspondiente. Su puntuación subirá después de cada día de observación.

	Puntos	Fecha		Puntos	Fecha
Afgano	5		Galgo italiano	15	
Apso tibetano	15		Galgo ruso	10	
Bichón de pelo rizo	15		Gran danés	10	
Bouvier de Berna	20		Grifón basset	20	
Buhund noruego	20		Grifón de Bruselas	20	
Bulldog	10		Grifón brabançon	20	
Bulldog alemán	5		Grifón enano	25	
Bulldog francés	20		Grifón gigante	20	
Cardigan	10		Grifón miniatura	10	
Cocker americano	10		Grifón estándar	20	
Collie de la frontera	5		Karabasch de Anatolia	25	
Chihuahua de pelo largo	5		Keeshond	10	
Chihuahua de pelo liso	5		Kelpie australiano	25	
Chow-chow	10		Komondor	25	
Dálmata	5		Kuvasz	25	
Dobermann	5		Lebrel	5	
Drentse	25		Leonberger	25	
Faldero chino	15		Malamute de Alaska	25	
Faldero inglés	20		Malinois	25	
Galgo corredor	5		Maltés	15	
Galgo escocés	20		Mastín de los Pirineos	10	
Galgo gitano	15		Mastín dogo	10	

	Puntos	Fecha
Münsterländer (gran)	20	
Münsterländer (pequeño)	25	
Pachón bretón	25	
Papillón	15	
Pastor: alemán	5	
australiano	25	
italiano	25	
sueco	25	
Pequinés	5	
Pembroque	5	
Perdiguero: Gordon	15	
inglés	10	
irlandés	5	
Perro: alomado rodesiano	10	
boyero de Flandes	25	
cazador de nutrias	20	
cobrador de Chesapeake	25	
cobrador de Labrador	5	
cobrador de pelo liso	10	
cobrador de pelo rizo	15	
cobrador dorado	5	
crestado chino	25	
escocés barbudo	10	
escocés de pelo duro	5	
escocés de pelo liso	10	

	Puntos	Fecha
esquimal	20	
gacela	15	
león tibetano	15	
leoncito	20	
pastor belga	20	
pastor de Briard	20	
pastor inglés antiguo	5	
pastor shetland	5	
tejonero de pelo duro	15	
tejonero de pelo largo	10	
tejonero de pelo liso	5	
Perro de aguas: caballero rey carlos	5	
cazador	20	
clumber	20	
cocker	5	
irlandés	20	
norfolk	10	
rey carlos	15	
saltador galés	20	
sussex	20	
tibetano	5	
Perro de busca: alano	15	
australiano	25	
azul	10	
bedlington	10	

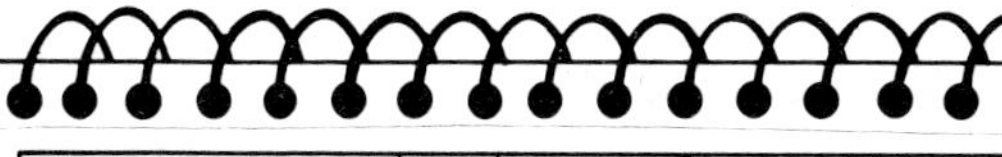

	Puntos	Fecha		Puntos	Fecha
bingley	10		Perro de la sierra de Estrela	25	
blanco	5		Pinscher	15	
boston	20		Podenco ibicenco	15	
dandie dinmont	15		Pointer	10	
de la frontera	10		Pointer húngaro	20	
de pelo duro	5		Pomerano finlandés	15	
de pelo liso	5		Pomerano inglés	20	
dogo	5		Puli húngaro	20	
escocés	10		Ratonero escocés	10	
galés	15		Sabueso basset	5	
irlandés	15		Sabueso faraón	20	
jack russell	5		Sabueso irlandés	15	
lakeland	10		Sabueso noruego	10	
manchester	15		Sabueso pequeño	5	
norfolk	15		Sabueso de San Huberto	15	
norwich	15		Sabueso zorrero	10	
sealyham	15		Samoyedo	10	
tibetano	15		San Bernardo	15	
yorkshire	5		Sloughi	25	
Perro de lanas: faldero	5		Schipperke	15	
miniatura	5		Tchin japonés	20	
estándar	10		Terranova	20	
Perro de punta: alemán	15		Terrier congolés	10	
español	10		Tervueren	20	
Perro de rebaño de Rottweil	10		Weimaraner	10	

Índice